DOREEN CRONIN

LA BRIGADE DES POUSSINS

L'Affaire du **Bizarre Poussin bleu**

Illustré par Kevin Cornell

Traduit de l'anglais (États-Unis) par Alexandra Maillard

L'édition originale de ce livre a été publiée
pour la première fois en anglais aux États-Unis en 2014 sous le titre
*The Chicken Squad – The Case of the Weird Blue Chicken –
The Next Misadventure*
par Simon & Schuster, 1230, avenue of the Americas,
New York, NY 10020, avec l'autorisation de Pippin Properties, Inc.,
via Rights People, Londres.

© 2016, Éditions Nathan, SEJER,
25, avenue Pierre-de-Coubertin, 75013 Paris, France
Loi n° 49-956 du 16 juillet 1949 sur les publications destinées à la jeunesse,
modifiée par la loi n° 2011-525 du 17 mai 2011
ISBN : 978-2-09-256678-7

À Kevin Cornell,
D.C.

Doreen, je suis touché !
K.C.

INTRODUCTION

Qui sommes-nous ?

Cracra
Choupette
Plop
Lou

Vous avez perdu quelque chose ?
Nous le retrouvons.

Vous avez cassé quelque chose ?
Nous le réparons.

Vous avez des ennuis ?
Nous vous en sortons.

Vous cherchez les ennuis ?
Nous vous en fournissons.

Nous sommes LA BRIGADE
DES POUSSINS.

CHAPITRE 1

Hey ! Vous êtes là ? Vous tombez bien !

J'ai trouvé le prospectus de la Brigade des poussins sous mon écuelle ce matin. Ça fait deux ans que je partage le jardin avec ces quatre boules de plumes. Je sais déjà tout sur elles, mais peut-être pas vous. Voici ce qu'il faut savoir :

Cracra : petite, jaune, duveteuse
Vrai nom : Huguette
Spécialité : les langues étrangères,
les maths, les couleurs,
les codes informatiques

Choupette : petite, jaune, duveteuse
Vrai nom : Brigitte
Spécialité : entrer par effraction,
interrompre les conversations

Plop : petit, jaune, duveteux
Vrai nom : Plop
Spécialité : surveiller la chaussure
(je vous expliquerai plus tard)

Lou : petite, jaune, duveteuse
Vrai nom : Marie-Louise Meringue
Spécialité : aucune
à ma connaissance

On peut dire que ces quatre boules jaunes savent chercher les ennuis, et les trouver. Elles savent même les inventer. Est-ce que les poussins pourront vous tirer d'affaire si jamais vous avez des problèmes ? Aucune chance. Est-ce qu'ils en inventeront tout un tas si jamais vous les laissez seuls sans surveillance plus de deux minutes et demie ? Absolument !

Et pas petits, les ennuis. Plutôt du genre :
« Oups, je me suis coincé un trombone dans le nez... » Du sérieux. De la demande-de-rançon, de l'incendie-accidentel, de l'aile-cassée, ou du mon-frère-est-coincé-dans-le-tuyau-d'arrosage. Et ils sont capables de créer des catastrophes pratiquement tous les jours.

Mais malgré le raffut et les cris, voire

certaines situations de vie ou de mort, les choses se passent plutôt bien. Pour une bonne raison. Une raison qui n'a rien à voir avec Cracra, Choupette, Plop, Lou, ni même avec Moush, leur maman à la vigilance de tous les instants.

Cette raison, c'est moi : J.J. Tully. Chien secouriste à la retraite. Sept années à exercer ce métier, et deux dans le jardin.

Mon travail ? Avoir en permanence un œil sur eux.

CHAPITRE 2

– Je peux t'aider, mon p'tit ? demande Choupette.

Mardi matin, assez tôt dans la matinée. Un petit oiseau bleu vient de faire irruption dans le poulailler. Le jardin est tout mouillé à cause de l'arrosage automatique. Et le nouveau venu ne s'est pas essuyé les pieds avant d'entrer.

– J'ai un problème, dit le petit oiseau.

– Ça, c'est sûr, mon p'tit... répond Choupette. Tu laisses des traces de pattes partout.

– Oh, pardon...

– Mmh mmh, marmonne Choupette.

Elle s'avance de derrière la vieille chaussure, qui sert de bureau à la Brigade des poussins.

– Comment nous as-tu trouvés ?

– Grâce à l'écriteau géant accroché à l'extérieur du poulailler, répond l'oiseau bleu. Et aux prospectus que vous avez laissés un peu partout.

L'oiseau bleu tend une quinzaine de prospectus à Choupette.

– Est-ce que quelqu'un t'a suivi jusqu'ici, tu vois ? demande Cracra.

– Je ne crois pas.

– Va jeter un coup d'œil dehors, dit Choupette.

Le petit oiseau bleu commence à marcher vers l'entrée du poulailler.

– Pas toi, petit oiseau, fait Choupette en regardant sa sœur, Cracra.

Cracra sort de la vieille chaussure. Elle va se planter sur le seuil de la porte.

– Dites, il y a combien de poussins, exactement, dans ce bureau ? demande l'oiseau en désignant la chaussure du bout de l'aile.

– C'est moi qui pose les questions, ici, mon p'tit, lui répond Choupette.

Elle note quelques observations par écrit :

Petit
Bleu
Petits pieds
Deux ailes
Sûrement un Bizarre Poussin bleu

Dans son dossier, Choupette note une nouvelle observation :

Bizarre Poussin bleu n'aime pas répondre aux questions.

– J'ai juste besoin d'une dernière chose, déclare Choupette.

Elle sort un coton-tige de la chaussure.

– Tu comptes faire quoi avec ça, exactement ? demande le petit oiseau.

– Te gratter les dessous de bras.

– Quoi ?! Mais... Pourquoi ?

– Pour collecter un échantillon de ton odeur, répond Choupette. Ensuite, je le donnerai à J.J., mon ami le chien. Allez, ne bouge pas...

– Il est hors de question que je me laisse gratter les aisselles au coton-tige !

L'oiseau bleu commence à reculer vers la porte.

– Comme tu veux, Poussin bleu, lance Choupette. Mais on ne pourra pas te retrouver, sans ton odeur.

– Heu... Je suis juste là, dit le petit oiseau.

– Tu peux t'en aller, fait Choupette. J'ai ton numéro. Si jamais tu te perds, la Brigade des poussins te retrouvera peut-être. Mais ce sera difficile, sans ton odeur dans nos archives. Tu ne viendras pas dire qu'on ne t'aura pas prévenu... Je te souhaite une bonne journée.

Le petit oiseau reste planté sur place.

– Allez, du balai ! insiste Choupette. Sors d'ici !

Choupette retourne derrière le bureau et attrape un morceau de journal qu'elle a trouvé par terre.

L'oiseau bleu ne bouge toujours pas.

Choupette repose le bout de journal.

– Tu ne sais plus où tu habites ?

– Si, si.

– Tu as perdu quelque chose ?

– Non, non.

Lou pointe la tête hors de la chaussure.

– Dites-moi, il y a combien de poussins, exactement, dans cette chose ? demande l'oiseau bleu.

– Dis donc, mon p'tit. Pour quelqu'un

qui vient de débarquer comme ça, de nulle part, je trouve que tu poses beaucoup de questions, commente Choupette.

Là-dessus, elle fait le tour de la chaussure pour aller se planter à côté de Cracra.

– Je t'ai à l'œil, Bizarre Poussin bleu.

– Attends, Choupette, intervient Cracra. J'ai une dernière question à lui poser avant de le laisser partir.

– Laquelle ? demande Choupette.

– Est-ce que tu as besoin d'aide, petit oiseau ?

– Oui. Vraiment.

– Alors tu es au bon endroit, tu vois, répond Cracra en passant une aile autour des épaules de l'oiseau bleu. Quel est ton problème ?

De près, Cracra aperçoit des larmes briller dans les petits yeux bleus du petit oiseau bleu.

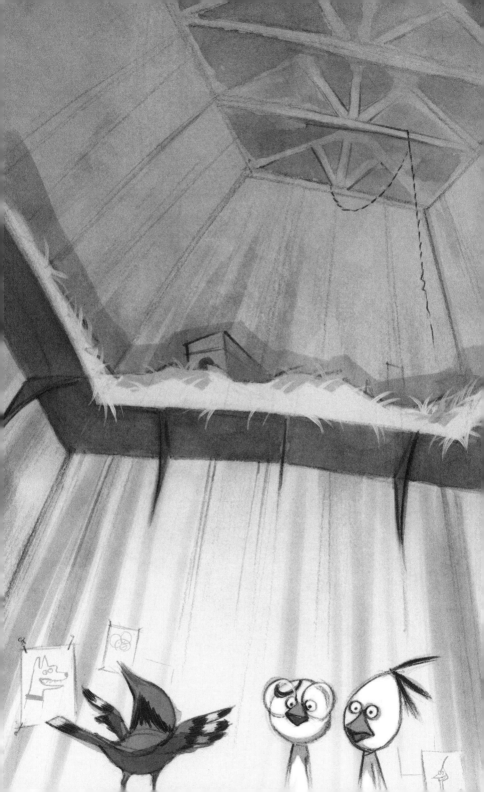

CHAPITRE 3

Le petit oiseau soupire profondément.

– J'ai un gros problème.

Cracra et Choupette échangent un petit coup d'œil.

– Lequel, mon p'tit ? demande Choupette.

– Un oiseau.

– Et à quoi ressemble cet oiseau ? intervient Cracra.

– Il mesure 1,80 mètre, répond l'oiseau.

– Aucun oiseau n'est aussi grand, déclare Choupette. Tu as dû faire un mauvais rêve. Et je ne peux rien pour toi si ton problème est un mauvais rêve avec un gros oiseau dedans.

Cracra observe le poussin bleu de la tête aux pattes.

– Combien mesures-tu ? l'interroge-t-elle.

– Environ 1,20 mètre.

– Ah, je vois... fait Cracra gentiment. Je crois que tu confonds les unités de mesure... C'est très fréquent. Tu mesures à peu près 12 centimètres.

Le petit oiseau hausse les épaules. Choupette soupire d'énervement.

– Qu'est-ce que tu peux me dire d'autre à propos de cet oiseau ? demande Cracra.

– Qu'il est jaune.

– Tu pourrais être un peu plus précis, s'il te plaît ? Moi, par exemple, je suis jaune canari, tu vois, explique Cracra. Choupette... Je dirais qu'elle est jaune pissenlit. Attends-moi là, je vais chercher ma boîte de crayons de couleurs...

– Tais-toi un peu, Cracra, intervient Choupette. Laisse parler le p'tit.

Mais le petit oiseau ne dit rien.

– Revenons à ton oiseau, reprend Choupette.

Elle a l'air sérieuse, cette fois.

– Tu as dit qu'il avait des problèmes ?

– Non. Qu'il est le problème.

– C'est bizarre, fait Choupette. Les oiseaux ne posent pas de problèmes, en général.

– Heu... Les oiseaux font des problèmes tout le temps, tu veux dire, contredit Cracra.

– Silence ! ordonne Choupette. Laisse parler Bizarre Poussin bleu.

– Qu'est-ce que cet oiseau a fait, exactement ? interroge Cracra de son ton le plus aimable.

– Il a kidnappé ma maison.

– Ouh là ! C'est très grave comme accusation, Poussin bleu ! dit Choupette. As-tu des preuves de ce que tu avances ?

– Il s'est installé dans ma maison et il ne veut plus en partir.

– C'est quand même très bizarre de dire qu'il a kidnappé ta maison... commente Cracra.

– Qu'est-ce qui te permet de dire que c'est un oiseau ? fait Choupette

– Je sais reconnaître un oiseau quand j'en vois un.

– Tu ne sais pas reconnaître un centimètre quand tu en vois un, mon p'tit, le contredit Choupette. Comment puis-je être sûre que tu sais vraiment à quoi un oiseau ressemble ?

– Et qu'il ne veut pas partir ? ajoute Cracra.

– Je lui ai demandé de partir, mais il a refusé.

– Intéressant... commente Choupette.

Elle va se planter sur le seuil de la porte, les ailes croisées dans le dos.

Ensuite, elle se met à réfléchir profondément.

Au bout de 73 secondes, elle note quelque chose dans son carnet :

Plantée là depuis
assez longtemps.
Ferais mieux
de me retourner.

Là-dessus, elle se tourne face au petit oiseau.

– Je sais de quoi tu as besoin.

– J'ai besoin que cet oiseau parte de chez moi, répond le petit oiseau.

– Non, fait Choupette. Tu as besoin de la Brigade des poussins.

– Vous pensez que la Brigade des poussins pourra faire partir cet oiseau de chez moi ? lance l'oiseau bleu.

– Je n'en ai aucune idée, tu vois, répond Cracra. Vraiment aucune.

– Mais c'est ton jour de chance, mon p'tit, annonce Choupette. La Brigade des poussins accepte de s'occuper de ton affaire. Mais ça va sûrement être dangereux, et ça va demander ton entière coopération. Est-ce que tu comprends la situation ?

– Oui.

– Bien. Maintenant, va-t'en, dit Choupette.

Elle se penche plus près de l'oiseau bleu pour lui chuchoter à l'oreille :

– Et surtout, sois discret. Garde la tête baissée. Marche à l'ombre. Évite d'attirer l'attention. Ne dis à personne qu'on

s'est parlé. Et gazouille trois fois quand tu seras sûr que la zone est dégagée.

– Heu… Je m'envole, en général, explique le petit oiseau.

– Ça peut fonctionner aussi, répond Choupette.

CHAPITRE 4

– **O**n a oublié de lui demander où il vit, dit Cracra.

Choupette fait les cent pas dans le poulailler.

– Nous allons le suivre, déclare-t-elle.

– Pourquoi est-ce qu'on n'est pas parties avec lui, dans ce cas ? interroge Cracra.

– Parce que je ne lui fais pas confiance, répond Choupette.

– Ah bon ? Pourquoi ?

– Parce qu'on ne peut pas faire

confiance à un drôle de Poussin bleu,
explique Choupette.

Elle secoue la tête.

– Tu as encore beaucoup de choses à
apprendre, sœurette. Le monde est impitoyable, là, dehors. On ne peut pas se fier
aux apparences.

– Je suis pratiquement sûre que cet
oiseau est un geai bleu et pas un Bizarre
Poussin bleu, tu vois, fait Cracra.

– Tais-toi ! Laisse parler le p'tit.

– Heu... Il n'est plus là, dit Cracra.

– Ah oui, c'est vrai ! reconnaît Choupette. Allez, viens. Je ne veux pas perdre
sa trace.

– Et moi ? Que puis-je faire ? demande
Lou.

– Toi, tu restes dans la chaussure. Au cas où un autre client viendrait.

– Reçu 5/5 ! dit Lou.

Au bout de quelques secondes, elle lance :

– Qu'est-ce que je fais si un autre client vient vraiment ?

– Tu lui dis de prendre rendez-vous, lui répond Choupette. Ensuite, tu retournes dans la chaussure.

– Reçu 5/5 ! fait Lou.

Choupette et Cracra marchent côte à côte, bien à l'ombre. Elles commencent par tourner une première fois à gauche, puis une deuxième fois. Ensuite, elles longent en file indienne le mur de derrière pendant un petit moment. Et tournent encore une fois à gauche.

– Et maintenant, quel est le plan ? demande Cracra.

– On tourne à gauche, dit Choupette.

Ce qu'elles font.

– On est revenues exactement à l'endroit où on a commencé à marcher, tu vois, déclare Cracra.

– Exactement. Regarde derrière toi.

Cracra jette un coup d'œil par-dessus son épaule.

– Je ne vois rien.

– Exactement, confirme Choupette. Maintenant, on sait que personne ne nous suit.

– Ouah ! fait Cracra. Alors ça, c'était vraiment malin.

– Reste près de moi, ma p'tite, dit Choupette. Je sais comment le monde fonctionne.

– Je peux venir avec vous, les filles ?

Cracra et Choupette se retournent d'un coup. Le petit oiseau bleu est planté derrière elles.

– Poussin bleu ! D'où est-ce que tu viens ? fait Choupette.

– Je vous ai suivies.

– Quoi ?! Comment ça ? s'étrangle Choupette.

– Je me suis fait discret. J'ai gardé la tête baissée. J'ai marché à l'ombre. Et je n'ai pas attiré l'attention.

Un petit sourire se dessine sur les lèvres de Choupette.

– Tu apprends vite, mon p'tit.

– Pourquoi tu nous as suivies ? intervient Cracra.

– Parce que je ne vous fais pas confiance, explique le geai bleu. Il ne faut jamais faire confiance à un petit oiseau jaune à lunettes. Tu as encore beaucoup de choses à apprendre, ma p'tite, on dirait.

– J'aime ta façon de penser, Bizarre Poussin bleu ! déclare Choupette.

CHAPITRE 5

Choupette, Cracra et le petit oiseau bleu traversent le jardin sur la pointe des pieds. Une fois au milieu de la pelouse, ils s'arrêtent et attendent que l'arrosage automatique tourne de l'autre côté.

– C'est juste là, explique le petit oiseau. Dans ce grand chêne. Il s'appelle Jean-Charles.

– Tu as donné un nom à ton arbre ?!

– Évidemment, répond le petit oiseau.

Ne jamais faire confiance à un oiseau qui ne donne pas de nom à son arbre.

– Bien sûr... fait Cracra.

– Je t'avais dit qu'il était bizarre, chuchote Choupette.

Le chêne est le plus grand arbre du jardin. Son épais feuillage forme un mur de verdure qui empêche de voir ce qu'il y a derrière.

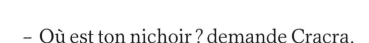

– Où est ton nichoir ? demande Cracra.

– Ce n'est pas un nichoir, répond le petit oiseau bleu. C'est une maison.

– C'est un peu étrange, non ? commente Choupette. Les oiseaux sont censés vivre dans des nids, pas dans des maisons.

– Tu vis dans un nid, toi ? demande l'oiseau bleu.

– Bien sûr que non, fait Choupette. Je suis un poussin. Je vis dans un poulailler.

– Et moi, je suis un oiseau, reprend l'oiseau bleu. Je vis donc dans une maison pour oiseau.

– Là, je ne trouve rien à redire, Bizarre Poussin bleu, reconnaît Choupette.

– Je ne vois pas ta maison, fait Cracra.

Le petit oiseau sautille jusque sous le chêne.

– Elle devrait être juste là, à environ 18 centimètres au-dessus du sol. Elle est rouge, elle a un trou qui sert de porte au milieu de sa façade et un magnifique toit vert incliné. Elle mesure environ 2,50 mètres de haut et 1,20 mètre de large.

Cracra sort son bloc-notes et une boîte de crayons de couleurs de derrière elle.

– Quelqu'un devrait prêter une règle à ce p'tit, commente Choupette.

– C'est bon, dit Cracra. J'ai compris qu'il veut dire 20 centimètres de haut par 10 de large, et que sa maison se situe à environ 2 mètres du sol, tu vois.

Choupette se met à faire le tour de l'arbre.

– Je ne vois pas de nichoir, mon p'tit. Dis donc, je commence à me demander si tu ne nous aurais pas traînées jusqu'ici pour rien...

Cracra tourne son bloc-notes vers l'oiseau.

– Est-ce que ta maison ressemble à ça ?

– Oui, tout à fait ! confirme le petit geai bleu d'un ton étonné. Comment tu as fait ?

– Je sais écouter, tu vois, explique Cracra. Une maison rouge avec un trou rond au milieur de la façade en guise de porte et un toit vert en pente.

– Attends une minute, fait Choupette.

Décris-moi encore ton kidnappeur de maison. Mais avec des détails, cette fois.

– Eh bien, il est petit, jaune, et un peu duveteux.

– Mmm, fait Choupette. Rien d'autre? Un tatouage? Une patte boiteuse? Une cicatrice de voyou?

– Je ne me rappelle aucun tatouage ni aucune cicatrice.

Cracra lui montre un croquis.

– Ce n'est pas vraiment ça. Mon kidnappeur de maison a une drôle de tête en forme d'œuf.

Cracra retouche le croquis.

– Non, ce n'est pas vraiment ça, répète le petit. Il a des yeux plus ronds.

Cracra recorrige son dessin.

– On s'en rapproche, fait le petit oiseau. Ah oui ! Et il a deux plumes orange au sommet du crâne. Elles mesurent à peu près 5 mètres de long chacune.

– 5 centimètres, mon p'tit, 5 CEN-TIMÈTRES ! lance Choupette d'un ton cassant.

Cracra retouche le portrait ENCORE UNE FOIS.

– C'est lui ! crie l'oiseau. Ça y est, tu y es arrivée ! C'est l'oiseau à tête d'œuf qui m'a volé ma maison !

– Oh... mon frangin commente Cracra.

Elle passe le carnet de croquis à Choupette.

– Oh ! Mon frangin...

– Ce n'est pas du tout un oiseau à tête d'œuf, tu vois.

– Ah non ? fait le geai bleu.

– Hé, non. Ça, mon p'tit, c'est notre frangin ! déclarent Cracra et Choupette en chœur.

CHAPITRE 6

– **N**ous devons absolument retrouver votre frère.

– Nous devons d'abord retrouver ta maison, fait Choupette. Plop sera forcément à l'intérieur.

– C'est quoi, un plop? interroge le petit oiseau.

– Notre frère. C'est son nom, répond Choupette.

– Où est-ce qu'il emporterait un nichoir, d'après vous?

– Je crois que la question, c'est plutôt pourquoi il emporterait un nichoir ? suggère le petit oiseau.

Cracra et Choupette se dévisagent.

– Plop est assez... imprévisible, explique Choupette.

Cracra approuve de la tête.

– Est-ce qu'il y a des objets de valeur dans ta maison ? ajoute Choupette.

– Non. Aucun. Pourquoi est-ce que j'aurais des objets de valeur, d'abord ? C'est ridicule. Non, mais franchement. Je ne suis qu'un pauvre petit oiseau. Un simple geai bleu ennuyeux. Quelle drôle de question... En fait, je trouve ça même vraiment indiscret de m'interroger sur ce

qu'il y a dans ma maison ! Mesdemoi-
selles, bonne journée !

Bizarre Poussin bleu ment.

Cracra et Choupette regardent le petit
oiseau s'éloigner à tire-d'aile.

– Il nous ment, déclare Choupette.

– Tu crois qu'on devrait le suivre ?
demande Cracra.

– Non, répond Choupette. Il a peur.
Il reviendra.

– On devrait partir d'ici, tu vois, lance alors Cracra. Tout de suite !

– Pourquoi tu es aussi pressée, tout à coup ? fait Choupette.

– L'arrosage automatique va...

Cracra sort un parapluie rose à pois de derrière son dos. Elle l'ouvre au-dessus de sa tête et celle de sa sœur pile au moment où l'eau commence à retomber.

—... nous arroser, dit Cracra.

– Comment tu as fait ça ?! s'étonne Choupette.

– Je n'en sais rien du tout, tu vois, répond Cracra.

– Très impressionnant..., fait Choupette.

CHAPITRE 7

– **N**ous devons retrouver le petit oiseau bleu, fait Cracra.

Elle marche de long en large à l'intérieur du poulailler.

– Nous n'avons pas son odeur, dit Choupette. Il a refusé de se laisser frotter les aisselles au coton-tige. On sait pourquoi, maintenant...

– Ah bon ? Pourquoi ? demande Cracra.

– Pour la même raison qui pousserait n'importe qui à refuser l'examen au coton-tige : parce qu'il a quelque chose à cacher.

– On va avoir besoin de J.J. sur ce coup..., fait Cracra.

– Je viens juste de te dire qu'on n'a pas son odeur. J. J. ne pourra pas le retrouver s'il ne l'a pas, explique Choupette.

– Je peux peut-être vous aider, intervient soudain Lou.

– Tu nous as déjà aidées, Lou, assure Cracra. Tu as vraiment bien surveillé la chaussure, tu vois.

– Excusez-moi d'insister, mais je suis sûre de pouvoir vous aider.

– C'est vraiment super, Lou, répond Choupette en tapotant la tête de sa sœur. Mais pourquoi tu ne retournerais pas dans la chaussure et continuer de monter la garde ?

– Mais..., bafouille Lou.

– Dans la chaussure, s'il te plaît ! ordonne Choupette.

Lou hausse les épaules et saute à pieds joints à l'intérieur de la vieille chaussure.

– Je savais que ce Poussin bleu ne nous apporterait que des ennuis, commente Choupette. On pourrait peut-être lui tendre un piège...

– Quel genre de piège ? demande Cracra.

– Je n'en sais trop rien, fait Choupette. Laisse-moi y penser.

– Je vais te dire ce que moi, je pense, lance Lou depuis la chaussure. Je pense que tu devrais aller trouver Écureuil Grincheux.

– Pourquoi tu dis ça ? demande Choupette.

Sortant une main de la chaussure, Lou brandit un message :

– Nous avons un fou criminel sur les bras ! crie Choupette. D'abord, le nichoir, et maintenant, les glands ! Quelque chose me dit que ces deux crimes sont liés. Allons parler à Écureuil Grincheux.

– Bon boulot, Lou, déclare Cracra.

– Je t'avais bien dit que la chaussure était l'endroit idéal pour toi, tu vois, ajoute Choupette.

CHAPITRE 8

– **L**equel de ces arbres est celui d'Écureuil Grincheux? questionne Cracra.

– Je ne sais pas, mais nous allons bientôt le découvrir, assure Choupette. Passe-moi ce message.

Choupette ferme les yeux et le renifle.

– Comme je le soupçonnais, déclaret-elle, il sent l'écureuil.

– Et maintenant, qu'est-ce qu'on fait? demande Cracra.

– On suit sa trace, décide Choupette.

Choupette, Cracra et Lou tournent quatre fois à gauche autour du poulailler pour vérifier que personne ne les suit. Choupette s'arrête tous les trois pas pour humer l'air. La traque de l'écureuil l'excite complètement. Elle louche, elle a un air très sérieux, et la tête baissée.

Tout à coup, Choupette traverse le jardin, elle saute par-dessus l'arroseur automatique et va faire le tour d'un érable géant.

– Nous y voilà, fait-elle. La piste s'arrête ici. C'est là qu'Écureuil Grincheux doit habiter.

Cracra et Choupette lèvent les yeux.
Écureuil Grincheux les observe.

– Ouah ! s'exclame Cracra. Tu as réussi !
Tu as retrouvé Écureuil Grincheux !

– Évidemment, déclare Choupette. La
terre mouillée fait remonter les odeurs.

– Sans parler de ces traces de pattes
d'écureuil bien visibles dans la boue,
intervient Lou.

– Je croyais qu'on t'avait dit de
rester dans la chaussure..., ronchonne
Choupette.

– Comment va-t-on faire pour grimper là-haut ? s'interroge Cracra.

– On ne va pas grimper, explique Choupette. Écureuil Grincheux va descendre.

Les trois poussins attendent au pied de l'arbre.

– Je suis surpris de vous voir ici ! leur crie Écureuil Grincheux depuis sa branche.

– Nous avons eu ton mot, tu vois, explique Cracra.

– Vous avez apporté le marteau ? demande Écureuil Grincheux.

Lou brandit un marteau vers l'écureuil.

– Merci ! fait le grincheux.

Il descend le long du tronc pour venir prendre l'outil des mains de Lou.

– Holà ! lance Choupette avant de récupérer l'outil. Attends une minute, Écureuil Grincheux. D'abord, tu vas me dire pourquoi tu as besoin d'un marteau. Parce que c'est un peu curieux, tout de même, tu ne trouves pas ?

– C'est pour ouvrir des glands, répond Écureuil Grincheux.

– Je croyais qu'on t'avait volé tous tes glands, dit Cracra.

– Heu... Il s'agit de glands de secours, explique Écureuil Grincheux. Ils sont vieux et un peu rassis. Du coup, j'ai besoin d'un marteau pour les ouvrir.

À ces mots, Écureuil Grincheux attrape le marteau des mains de Choupette et s'élance à toute allure sur le tronc. Mais avant qu'il ne grimpe trop haut, Cracra s'accroche à sa queue. Choupette à Cracra. Et Lou à Choupette.

Écureuil Grincheux court le long du tronc avant de tourner brusquement à gauche. Il arrive au bout d'une branche et saute dans le vide vers la branche d'un arbre voisin.

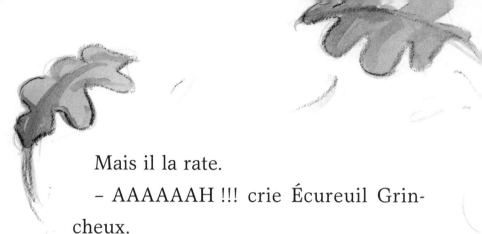

Mais il la rate.

– AAAAAAH !!! crie Écureuil Grincheux.

– AAAAAAHH !!!!!! crie Cracra.

– AAAAAAAAAHHH !!!!!!!!! hurle Choupette.

CHAPITRE 9

Cracra, Choupette, Lou, et Écureuil Grincheux sont suspendus les uns aux autres au-dessus du vide. On dirait un peu une grappe de raisin qui se balancerait d'avant en arrière, d'avant en arrière...

– AU SECOURS ! hurle Lou.

Elle agrippe le pied tout maigre de Cracra, qui serre très fort le parapluie à pois roses accroché au marteau qui s'est lui-même accroché dans des feuilles.

– Tu n'es qu'à 2 mètres du sol ! Arrête

de crier et lâche prise ! lance le petit oiseau bleu en bondissant dans les buissons tout proches.

– 2 mètres ! crie Lou. AU SECOOOUUURS !

– Il veut dire 20 centimètres ! explique Cracra. Tu n'es qu'à 20 centimètres du sol ! Lâche Choupette avant qu'on tombe tous !

– Au SECOOUUUUUURS ! hurle Choupette.

La branche s'agite de haut en bas sous le poids des trois poussins, du parapluie, de l'écureuil et du marteau.

De haut en bas. De haut en bas. De haut en bas.

De haut en...

Crac.

Boing. Boing. Boing. Boing. Boing.

Une pause.

BOING !

CHAPITRE 10

– **A**ttention en dessous ! prévient une voix depuis une branche au-dessus.

Choupette, Cracra, Lou et Écureuil Grincheux regardent en l'air juste à temps. Une petite maison rouge avec un toit vert en pente tombe de l'arbre. Deux plumes orange pointent du trou rond au milieu de la façade. Sous les plumes orange surgit la tête bosselée d'un poussin.

– Plop ! lancent Cracra et Lou.

BADABOUM !!!

La maison atterrit dans un grand cra-
quement. Des dizaines de glands roulent
partout par terre.

– Je crois que je n'ai plus besoin de
marteau, maintenant, fait Écureuil Grincheux.

Il se précipite sur les glands et commence à en ramasser le plus possible.

Lou, Cracra et Choupette courent vers leur frère pour l'aider à se relever.

– Tu vas bien ?

– Ze vais bien, répond Plop. Ze suis vraiment content de ne plus être dans cet arbre !

– Qu'est-ce que tu faisais là-haut ? demande Choupette.

– Ça sent meilleur que dans la zaus-sure... explique Plop.

– Ça, ce n'est pas moi qui vais te contredire, fait Lou.

– Z'ai vu cette maison qui débor-dait de glands, z'ai voulu voir dedans, mais ze n'ai pas réussi à sortir. Écu-reuil Grinzeux m'a trouvé et, avant que je puisse réagir, il a déplacé toute la maison !

– Regarde ce que tu as fait à mon nichoir !

– Il est complètement cassé, Bizarre Poussin bleu, fait Choupette. Mais c'est le prix à payer, quand on vole des glands.

– Je ne suis pas un poussin bleu ! crie le petit geai bleu. Arrête de m'appeler

comme ça ? Pourquoi vous ne m'appelez jamais par mon nom ?

– C'est très simple : parce que tu ne nous l'as jamais dit.

– Je m'appelle Winnie et je suis un geai bleu.

– Tu n'es pas d'ici, n'est-ce pas, Winnie ? demande Choupette.

– Comment tu le sais ? veut savoir Winnie.

– Parce qu'il y a des règles, dans le jardin, explique Choupette. Les glands appartiennent à celui qui les trouve.

– Eh ben moi, je trouve ça injuste ! crie Winnie. Écureuil Grincheux prend tous les glands alors qu'ils devraient être à tout le monde !

– Winnie a raison, Écureuil Grincheux, dit Cracra. Ils devraient être pour
tout le monde, tu vois.

– Mais j'ai besoin de tous les glands !
se plaint Écureuil Grincheux. Je ne
mange rien d'autre.

– Ça explique pourquoi tu es aussi
grincheux... commente Choupette.

– Tiens, fait Cracra en tendant une fraise. Goûte ça.

Écureuil Grincheux renifle le fruit durant une seconde. Il croque ensuite une toute petite bouchée.

– Pas mal, déclare-t-il. Pas mal du tout.

– OK, le pique-nique est terminé, intervient Choupette. À partir de maintenant, Écureuil Grincheux va tester de nouveaux aliments, et Winnie ici présent va suivre les règles du jardin. Tout le monde est bien d'accord ?

– Je suis désolé pour les glands, marmonne Winnie.

– C'est bon, mon p'tit. Ne recommence pas, c'est tout ce qu'on te demande.

– Je ne le referai plus, c'est promis.

– Encore une chose, mon p'tit.

– Quoi donc ? demande Winnie.

– Tu vois cette grande maison, là-bas ? Une dame y habite. Elle s'appelle Barbara. Elle nous donne à manger, elle donne à manger au chien, et elle te donnera à manger, à toi aussi. Tu vois ce drôle de bidule qui pend près de la porte de derrière ? C'est une mangeoire à oiseaux. Tu peux aller te servir. C'est gratuit.

– Merci, Choupette !

– De rien, mon p'tit. Et essaie d'éviter les problèmes à l'avenir.

Winnie commence à s'éloigner en sautillant.

– Une dernière chose, mon p'tit, fait Choupette.

– Oui ?

– Tu me dois toujours un frottage d'aisselle au coton-tige.

– Alors ça, c'est vraiment toujours aussi bizarre, déclare Winnie.

– C'est le monde qui est bizarre, mon p'tit, déclare Choupette. Tu vas devoir t'y habituer.

ÉPILOGUE

Eh voilà, vous savez tout. La Brigade des poussins a sauvé la situation. Choupette avait raison depuis le début : ne faites jamais confiance à un Bizarre Poussin bleu. Et mangez des fruits. Enfin, c'est mon avis.

TABLE DES MATIÈRES

L'AUTEURE

Doreen Cronin est l'auteure de nombreux albums et romans jeunesse plébiscités par le *New York Times*. Son passe-temps favori ? Résoudre des crimes imaginaires. Elle vit à Brooklyn, où elle veille jalousement sur sa collection de chapeaux de détective privé !

L'ILLUSTRATEUR

Kevin Cornell dessine depuis sa base intergalactique située à Philadelphie. Ses nombreuses missions sur terre l'ont amené à illustrer des livres pour la jeunesse.

Découvre d'autres aventures de
LA BRIGADE DES POUSSINS

DOREEN CRONIN
Illustré par Kevin Cornell

La BRIGADE DES POUSSINS

L'Affaire de la
terrible
chose géante

Nathan

Dépôt légal : juillet 2016
Achevé d'imprimer en juin 2016
par Jouve (53100, Mayenne, France)
N° Éditeur : 10223241